Gilbert **Delahaye** ◆ Marcel **Marlier**

martine

à la ferme

casterman

• Découvre les personnages de cette histoire •

Martine

Joyeuse et curieuse, Martine adore s'amuser avec ses amis et son petit chien Patapouf. Ensemble, ils découvrent

le monde et vivent de véritables aventures. Une chose est sûre : avec Martine, on ne s'ennuie jamais !

Alexis

Lucie

C'est le fils aîné de M. et Mme Martin. Passionné d'animaux, il adore s'occuper des bêtes de la ferme. Il prend soin de chacun et les connaît par cœur !

Lucie est dans la même classe que Martine. Comme ses parents voyagent beaucoup, elle séjourne souvent chez son amie. C'est l'occasion de jouer ensemble toute la journée, et d'imaginer des histoires merveilleuses…

Patapouf

Ce petit chien est un vrai clown ! Il fait parfois des bêtises… mais il est si mignon que Martine lui pardonne toujours !

Aujourd'hui, Martine va passer la journée chez M. et Mme Martin.

Son amie Lucie est invitée aussi, c'est la première fois qu'elle visite

une ferme.

– Tu verras, il y a plein d'animaux, assure Martine pendant le chemin.

On va bien s'amuser !

– Salut les filles ! appelle Alexis quand la carriole entre dans la ferme.

– Coucou ! répond Martine en agitant le bras.

– J'avais hâte que vous arriviez ! Venez voir : les œufs ont éclos hier…
et des poussins sont nés !

Martine et Lucie suivent Alexis dans la basse-cour.

Autour de Roussette, cinq adorables poussins sautillent gaiement.

Ils picorent des graines et boivent de l'eau dans un grand bol.

Roussette tient ses petits à l'œil : pas question qu'ils s'éloignent !

Une vraie « maman poule » !

Soudain, la poule se dresse et caquette bruyamment.

– Elle te dit de t'éloigner ! explique Alexis à Martine. Elle n'aime pas qu'on s'approche trop de ses bébés…

– C'est vrai qu'ils sont encore petits. Ils savent à peine marcher ! Pourtant le poussin ne semble pas effrayé… Avec son petit bec retroussé, on dirait même qu'il sourit !

Martine en profite pour aller voir le poulailler. C'est là que vivent
Roussette, ses petits, et toutes les autres poules. Sans oublier le coq !
Tous les matins, aux premiers rayons du soleil, il réveille le village
de son « Cocorico » puissant. Seul ennui : l'été, il chante si tôt que
les poules lui envoient des regards furieux. Elles aimeraient bien
faire la grasse matinée, de temps en temps !

Lucie veut rester avec les poussins, mais Martine préfère rendre visite aux canards. Alexis l'emmène à l'étang. Tous deux enlèvent leurs chaussures et s'assoient sur la rive.

– Attire-les avec une canne à pêche, conseille Alexis. Ils sont intrigués par le flotteur qui pend au bout de la ligne.

– Ça marche ! se réjouit son amie. Toute la famille s'approche !

Les oies aussi veulent participer. Elles cacardent si fort qu'on
ne s'entend plus…

– Du calme ! Du calme ! s'écrie Martine.

– Elles ont faim, explique Alexis qui les connaît par cœur.

– Il me reste du grain, je veux bien vous en donner…
Mais chacune votre tour !

Deux pigeons, perchés sur le toit de la ferme, observent la distribution de grain. Eux aussi ont un petit creux mais, avec ces oies autoritaires, ils n'ont aucune chance…

Tant pis… Au moins, ils peuvent contempler le paysage.

Et en cette belle journée d'été, la campagne est magnifique !

Dans le potager, Martine a arraché quelques carottes fraîches.

– Un goûter ? propose-t-elle aux lapins qui s'amusent dans le foin.

Ceux-ci arrêtent aussitôt de jouer, et sautillent vers la fillette.

– De vrais petits gloutons ! s'amuse-t-elle.

– Rien n'est aussi mignon qu'un lapereau… soupire Martine.
Et les agneaux, alors ? Ceux de la ferme adorent gambader
dans les prés.

– Plus vite, Flocon ! crie Alexis. Je vais t'attraper !

Sa sœur, Mia, est venue se réfugier près de Martine.

– Pas un bruit, lui souffle la fillette, et il ne te verra pas !

Il y a quelques jours, Praline a eu une portée de porcelets :
ils sont si nombreux qu'elle ne sait plus où donner de la tête !
– Approchez, dit Martine en s'asseyant sur le puits. Vous avez soif ?
Je vais vous donner de l'eau. Mais «un par un, et dans le calme»,
comme le dit ma maîtresse à l'école !

Il est l'heure de traire les vaches. Alexis installe un petit tabouret à côté de Lavande, et un récipient sous son pis. Quelques minutes plus tard, il a recueilli cinq litres de lait.

– Bon appétit ! dit-il au veau qui se régale déjà.

Martine aussi a rempli tout un seau.

– Pour une première fois, c'est une réussite ! la félicite Alexis.

Comme tous les poulains, Polisson adore galoper. Sauf qu'il ne tient pas encore bien sur ses jambes, alors sa maman le surveille.

Elle avance au pas, à côté de lui, et hennit quand il va trop vite.

Pas question que son petit se blesse !

Heureusement, l'herbe touffue et moelleuse du pré est idéale pour qu'il puisse grandir et s'amuser.

Pendant que Martine continue sa visite, Moustache grimpe dans un cerisier. De là-haut, il peut voir toute la ferme : la maison, la basse-cour, le poulailler, les étables, les écuries, et les champs à perte de vue. C'est immense… Pas étonnant, que les animaux vivent heureux, ici !

Oscar, le chien, a conduit Martine au verger.

– Merci, Oscar, lui dit-elle. Tu es un excellent guide !

Elle tend la main pour le caresser… Et ça alors ! Voilà que l'animal

se dresse et brandit la patte !

– Bravo ! En plus d'être serviable, tu es très poli !

Martine et Alexis rejoignent Lucie à la table du goûter.

Sous les yeux des animaux de la ferme, ils mangent les délicieux sandwichs préparés par Mme Martin.

Moustache et Oscar bondissent au pied de Martine pour réclamer une friandise.

– Un morceau chacun, accepte la fillette, pour vous féliciter d'avoir été si sages !

Le soleil a disparu derrière les collines.

Il est l'heure de rentrer à la maison.

M. et Mme Martin viennent saluer les filles et les regardent s'éloigner…

– Au revoir, Alexis ! crie Martine depuis la carriole. Occupe-toi bien

des animaux ! Et dis-leur bien que Martine reviendra les voir

très bientôt !

Retrouve **martine** dans d'autres aventures !

martine
à la ferme

martine
en voyage

martine
à la mer

martine
au cirque

martine
vive la rentrée !

martine
à la fête foraine

martine
fait du théâtre

martine
à la montagne

martine
fait du camping

martine
en bateau

martine
et les quatre saisons

martine
à la maison

martine
au zoo

martine
fait les courses

martine
monte à cheval

martine
au parc

martine garde son petit frère

martine fête son anniversaire

martine jardine

martine fait du vélo

martine petit rat de l'opéra

martine à la fête des fleurs

martine fait la cuisine

martine apprend à nager

martine est malade

martine en vacances

martine prend le train

martine fait de la voile

martine fête maman

martine à l'école

martine découvre la musique

martine a perdu son chien

martine
dans la forêt

martine
et le cadeau d'anniversaire

martine
un mercredi pas comme les autres

martine
la nuit de Noël

martine
se déguise

martine
et les lapins du jardin

martine
baby-sitter

martine
au pays des contes

martine
et les marmitons

martine
prépare une surprise

martine
l'arche des animaux

martine
princesses et chevaliers

martine
et les fantômes

martine
un amour de poney

martine
la dispute

martine
drôle de chien !

Casterman
Cantersteen 47
1000 Bruxelles

www.casterman.com

ISBN : 978-2-203-10686-4
N° d'édition : L.10EJCN000499.C002

© Casterman, 2016
D'après les albums de Gilbert Delahaye et Marcel Marlier.
Achevé d'imprimer en décembre 2016, en Italie.
Dépôt légal : juin 2016 ; D.2016/0053/145
Déposé au ministère de la Justice, Paris (loi n°49.956
du 16 juillet 1949 sur les publications destinées à la jeunesse).